Sonia Edwards

Argraffiad Cyntaf — Tachwedd 2002

ISBN 0 86074 194 X

YN ARBENNIG
I
RHYS

a ofynnodd un noson
am stori cyn cysgu;
fyddai Harri a'i ffrindiau
ddim yn bod 'blaw am hynny!

Cyhoeddwyd dan gynllun comisiynu Cyngor Llyfrau Cymru.

Cydnabyddir cymorth Adrannau Cyngor Llyfrau Cymru
a Phanel Golygyddol Llyfrau Lloerig, sef:
Nia Gruffydd, Rhiannon Jones, Elizabeth Evans.

Cyhoeddwyd ac argraffwyd
gan Wasg Gwynedd, Caernarfon

Cafodd Owain bapur wal newydd yn ei stafell wely. Mi oedd o'n bapur wal difyr iawn. Roedd lluniau anifeiliaid arno –

llun hipo di-flew
hefo pen-ôl tew,

llun eliffant rhychiog
yn gwisgo trôns sbotiog,

llun mwnci bach main
yn chwilio am chwain,

llun llew blewog blewog
a'i ddannedd yn finiog,

llun jiráff gwddw hir
yn edrych dros y tir,

llun ci hefo smotiau
mewn dau bâr o sgidiau,

llun ffwlbart a gwiwer,

twrch daear a neidr,

llun sioncyn a ch'nonyn
mor wyrdd â chroen nionyn,

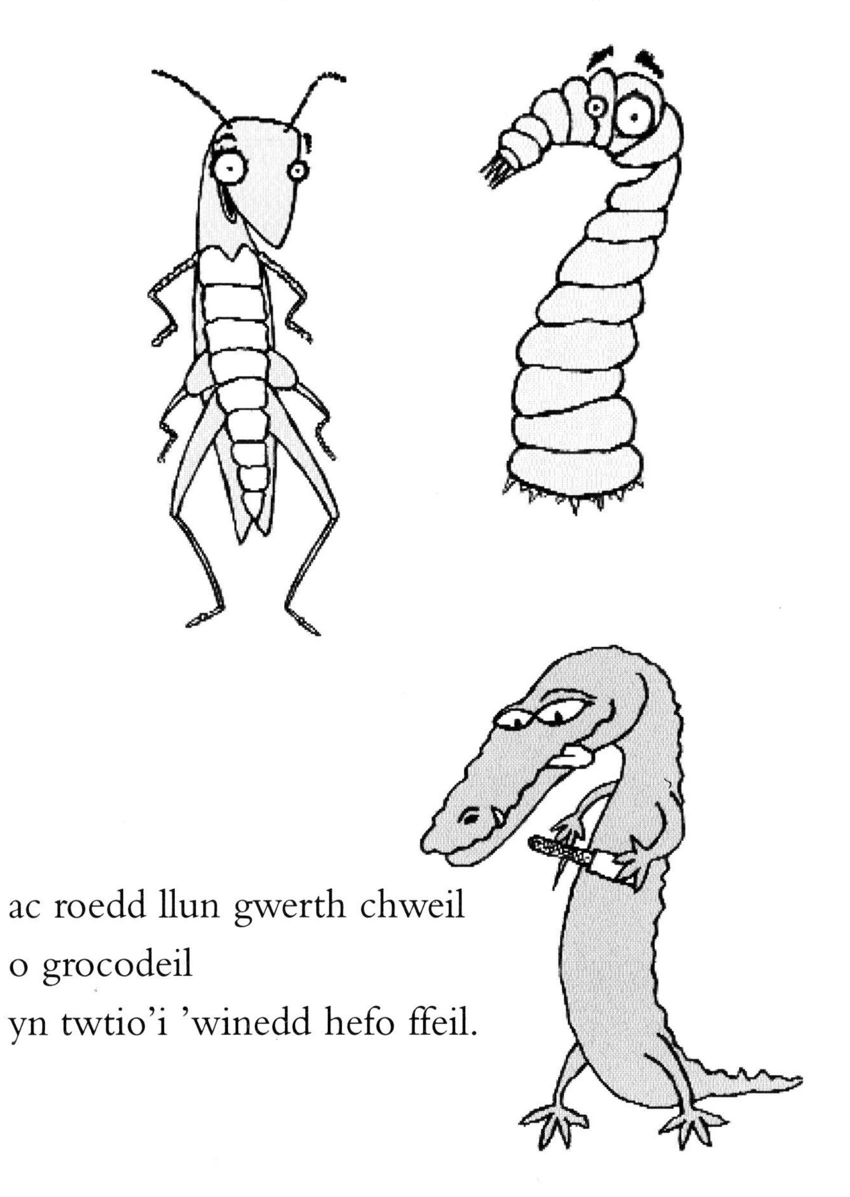

ac roedd llun gwerth chweil
o grocodeil
yn twtio'i 'winedd hefo ffeil.

Gorweddodd Owain yn braf yn ei wely a gwenu. Roedd o'n hoffi ei bapur wal. Edrychodd ar luniau'r anifeiliaid lliwgar. Penderfynodd roi enwau arnyn nhw.

Meddyliodd. A meddyliodd.
A meddyliodd. Ac yna, penderfynodd.

Byddai Blew yn enw da i'r llew. A byddai Harri yn gweddu i'r hipo bach tew. Ffredi oedd y ffwlbart. Nansi oedd y neidr. Iwrch oedd y twrch, a Waldo oedd y wiwer. A beth am y c'nonyn, mor wyrdd â chroen nionyn? Penderfynodd Owain ei alw yn Sionyn.

Ar ôl penderfynu ar enwau'r anifeiliaid i gyd, roedd Owain yn gysglyd iawn.

Swatiodd i lawr yn ei wely clyd gyda'i deigr bach meddal.

'Nos da, Siân Streips,' meddai Owain wrth ei deigr bach.

Gwenodd Siân Streips. Roedd hi'n gwenu o hyd. A gwenodd yr anifeiliaid-papur-wal i gyd.

Ac aeth Owain i gysgu yn ei wely bach clyd.

Y noson honno, pan oedd Owain yn cysgu, digwyddodd rhywbeth rhyfedd iawn ar y papur wal. Dechreuodd lluniau'r anifeiliaid symud!

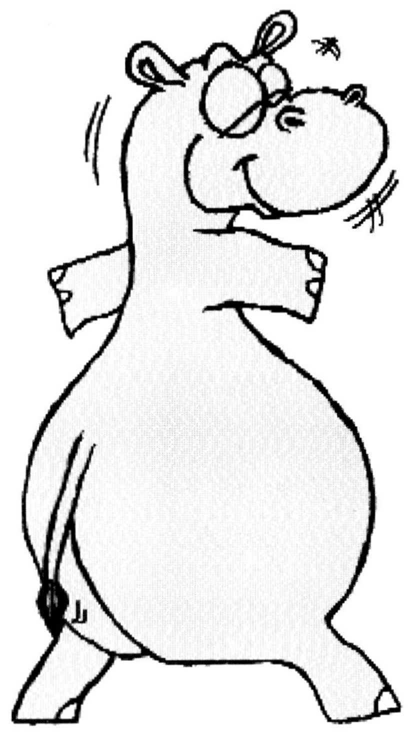

Ysgydwodd Harri'r hipo ei ben!

Crafodd Myrddin y mwnci o dan ei gesail!

Cododd Elwyn yr
eliffant ei drôns
hefo'i drwnc!

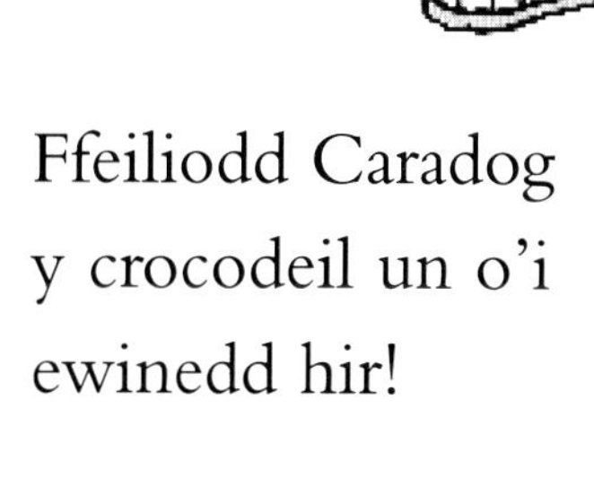

Ffeiliodd Caradog
y crocodeil un o'i
ewinedd hir!

Do, wir!

A dyma Jwff y jiráff yn plygu'i wddw hir fel llithren. Llithrodd yr anifeiliaid fesul un i lawr gwddw Jwff.

Glanio ar y gwely.

Neidio i'r llawr.

Ysgwyd eu cynffonnau

a thyfu'n fawr
FAWR!

Roedd Owain yn dal i gysgu'n sownd. Roedd Siân Streips y teigr bach yn cysgu hefyd. Ond roedd hi'n cysgu â'i llygaid ar agor bob amser oherwydd nad ydi llygaid teigrod bach meddal yn cau. Ac oherwydd bod ei llygaid ar agor, gwelodd bob anifail yn neidio oddi ar y papur wal mewn chwa o lwch hud. Roedden nhw'n dod yn fyw i gyd!

Dyna braf, meddyliodd Siân Streips. Mi hoffwn innau fedru chwifio fy nghynffon, a symud fy mhen, ac ysgwyd fy wisgers!

Ac wrth iddi feddwl am bethau braf felly, digwyddodd rhywbeth arall rhyfedd iawn. Wrth i Harri'r hipo ysgwyd y llwch hud o'i glustiau, disgynnodd rhywfaint o'r briwsion bach disglair ar drwyn Siân Streips.

Roedd o'n cosi. Yn cosi'n ofnadwy. Yn cosi cymaint nes iddi a – a – a – agor ei cheg yn fa – fa – fa – fawr a – a – a – a thissshh–I–AN dros y lle!

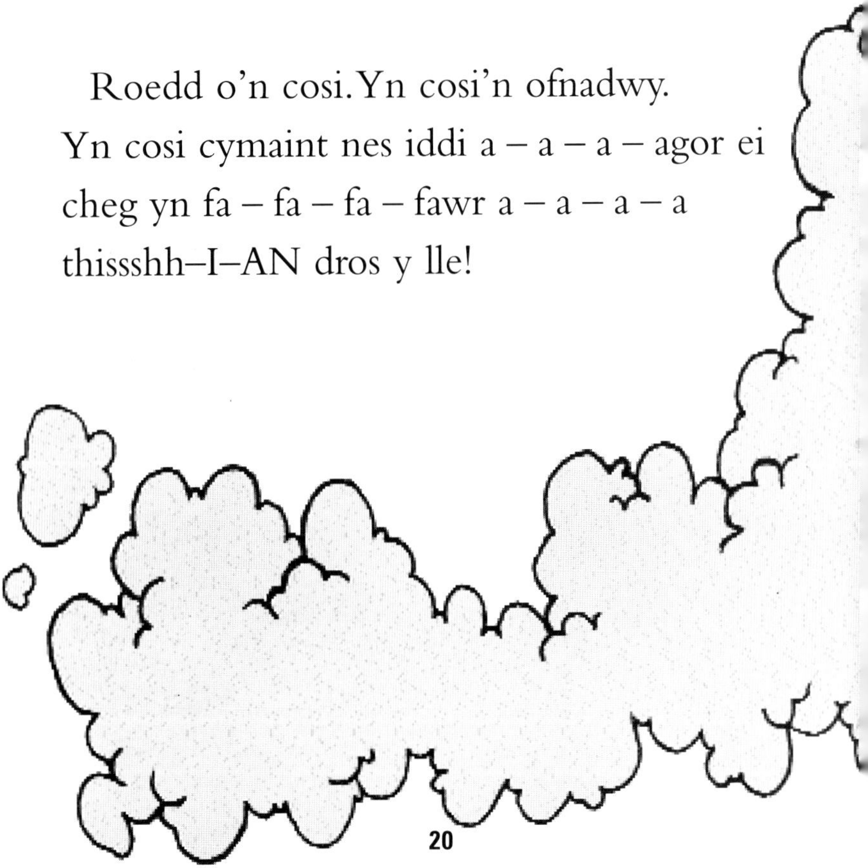

Wedyn chwifiodd ei chynffon. Symudodd ei phen. Ysgydwodd ei wisgers. Roedd hyn yn braf. Yn braf iawn!

'Prrrr!' meddai Siân Strcips a rhwbio'i thrwyn melfed yn erbyn boch Owain. 'Prrr! Deffra, Owain! Rydan ni'n mynd ar antur!'

Symudodd Owain ei ben. Trodd yn ei gwsg. Roedd rhywbeth yn ei ddeffro, yn chwythu i'w glust yn gynnes, rhywbeth meddal, braf… Agorodd un llygad. Agorodd y llall.

'Prrr,' meddai Siân Streips.

'Waw!' meddai Owain.

'Shh!' meddai Siân Streips. 'Wyt ti isio deffro pawb yn y tŷ?'

'Siân! Rwyt ti'n gallu siarad!' meddai Owain yn syn.

'Ydw.'

'Wyt ti'n gallu neidio hefyd?'

'Ydw.'

'A chwifio dy gynffon?'

'Ydw.'

'A bwyta?'

'Ydw.'

'Ac yfed?'

'Ydw.'

'A gwneud pŵ-pŵ?'

Ond chafodd Siân Streips ddim cyfle i ateb oherwydd bod yna gymaint o sŵn ar y llawr! Edrychodd Owain i lawr o'i wely bync. Gwelodd hipo hefo pen-ôl tew, a llew, a mwnci, a jiráff a… a… a llond lle o anifeiliaid lliwgar. Roedd ei stafell wely fel sw! Beth petai'r rhain i gyd yn dechrau gwneud pŵ-pŵ? Ond gwelodd Owain yn syth nad oedd dim rhaid iddo boeni am hynny! Roedd hi'n amlwg bod yr anifeiliaid yn gyffrous iawn. Roedden nhw'n mewian ac yn gwichian, yn rhuo ac yn ffraeo wrth benderfynu lle i fynd am dro!

'I'r parc!' meddai un.

'I'r goedwig!' gwaeddai'r llall.

'Shh!' sibrydodd Siân Streips. 'Rhaid bod yn gall! Fedran ni ddim mynd ag Owain allan i'r nos heb ofyn i'w fam. A meddyliwch sut fasai hithau'n teimlo petai hi'n cael ei deffro gan hipo, eliffant a llew!'

'Mae hynny'n wir,' cytunodd y jiráff gwddw hir. 'Fedran ni ddim mynd ar y môr na'r tir.'

‘Ond beth am sgawt o gwmpas y tŷ?’ meddai Elwyn yr eliffant, yn ysu am sbri.

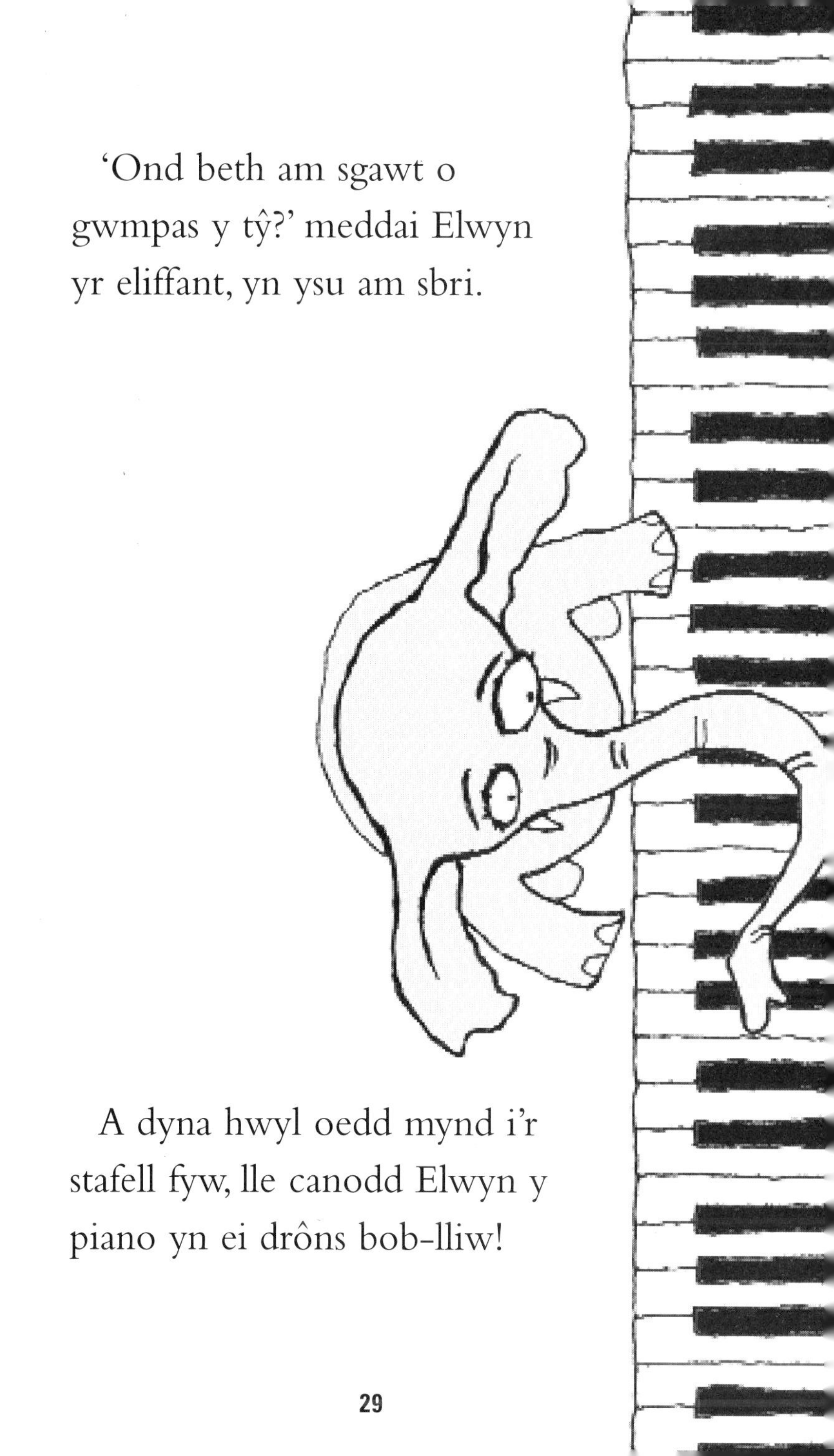

A dyna hwyl oedd mynd i’r stafell fyw, lle canodd Elwyn y piano yn ei drôns bob-lliw!

Meddyliodd Harri'r hipo y byddai bàth yn reit neis, ond nid oedd y twbyn yn ddigon o seis!

Felly crafodd ei drwyn gyda'i bawen fawr lwyd
a chrwydrodd i'r gegin lle gwelodd o – FWYD!

Rhywbryd yn ystod y nos, deffrodd Taid yn teimlo'n sychedig iawn. Roedd Taid yn byw gyda theulu Owain, ac roedd Owain wrth ei fodd. Un da oedd Taid. Un doniol a charedig, oedd yn tynnu'i ddannedd gosod er mwyn gwneud stumiau gwirion hefo'i geg!

Oedd, roedd Owain yn hoff iawn o Taid. Ond pan gododd Taid druan a mynd i lawr y grisiau i'r gegin y noson honno, cafodd andros o sioc.

'Rhyw lymaid bach o lefrith fasai'n dda,' meddai Taid wrtho'i hun gan rwbio'i lygaid yn gysglyd. Ond roedd yn rhaid iddo'u rhwbio eto ac eto am nad oedd yn credu'r hyn a welai.

Agorodd ei
lygaid yn
fawr,
FAWR!

Doedd o ddim yn gysglyd nawr. Roedd o'n GEGRWTH!

'B… b… be?' meddai Taid.

Roedd 'na ben-ôl mawr llwyd yn llenwi drws yr oergell, a sŵn llowcio barus – SLYRP!

‘Waa!’ gwaeddodd Taid mewn braw.

‘Waa!’ meddai Harri’r hipo ar yr un pryd, a thynnu’i droed o’r treiffl ar frys.

‘Help!’ gwaeddodd Taid dros y lle. ‘Help! Mae ’na hipo yn y cwstard!’

Ond os oedd Taid wedi cael sioc, bu bron i Harri'r hipo ddisgyn yn glewt ar ei ben-ôl tew. Wedi'r cyfan, roedd Taid heb ei ddannedd gosod, a'i wallt fel pigau draenog, yn olygfa i godi ofn ar fwgan!

‘Anffodus, yn wir!’
meddai Jwff wddw hir.

‘O’ma reit handi!’
gwaeddodd Myrddin
y mwnci.

‘Syniad gwirion pwy
oedd hyn?’ cyfarthodd
y ci yn y sgidiau gwyn.

Ac i ffwrdd â nhw'n gynffonnau i gyd cyn i Harri'r hipo gael gorffen ei bryd. Wsh! Mor gyflym i fyny'r grisiau nes daeth mwg mawr o'u clustiau!

Yn un fflyd. Ffwl sbîd. Er mwyn cael cyrraedd y papur wal hud.

Ffiw! Jyst mewn pryd!

'Shh!' meddai Siân Streips. 'Ydych chi am ddeffro'r teulu i gyd?'

Ond i lawr yn y gegin roedd Taid yn gwneud hynny - yn gweiddi nes bod y waliau'n crynu.

'Hipo! Un mawr, reit dew. Yn llowcio'r cwstard… ac roedd 'na fwnci… a llew…!'

'Shh, Taid bach,' meddai Mam yn ei slipars a'i choban. 'Hunllef oedd o, dyna'r cyfan. Ewch am eich gwely, mae hi bron yn yfory!'

'Ond hipo,' meddai Taid, 'ac eliffant mewn trôns! Be tasan nhw'n dod i fy mwyta'n y nos?'

Ar ôl dipyn o strach cafwyd Taid 'nôl i'r ciando. Roedd hi'n amlwg, meddai pawb, iddo fod yn breuddwydio! Ond yn stafell Owain roedd 'na gyffro o hyd wrth i bawb gamu'n ôl i'r papur wal hud.

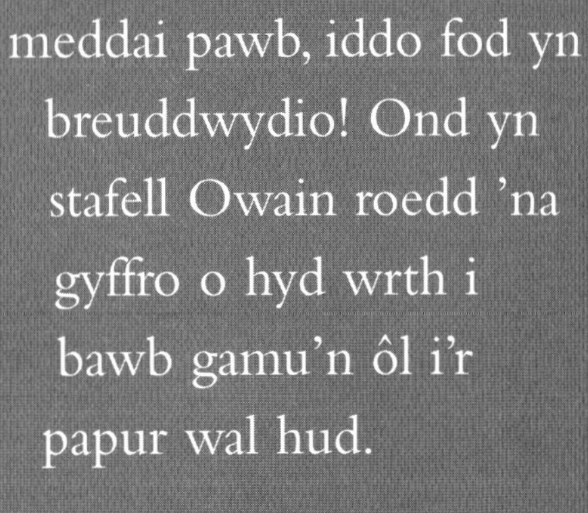

Taid druan! meddyliodd Owain. Mi fydd o'n well yn y bore ac yn credu mai breuddwyd oedd y cyfan. Roedd hi bron fel breuddwyd iddo yntau bellach, a phawb yn ôl yn eu llefydd yn gwenu i lawr arno, a Siân Streips yn deigr meddal llonydd unwaith eto.

Roedd popeth mor llonydd, 'run fath ag o'r blaen. Tybed ai breuddwyd gafodd yntau hefyd? Am y llwch hud? Y swyn? Bu bron i Owain beidio â chredu – nes iddo sylwi ar Harri a gwenu cyn cysgu. Wrth gwrs fod yna hud a lledrith a swyn – roedd gan yr hipo bach gwstard ar flaen ei drwyn!

LLYFRAU LLOERIG
Mae'r llyfrau wedi eu graddoli yn ôl iaith a chynnwys a nodir y lefelau trwy gyfrwng sêr. Dyma'r teitlau sydd mewn print ar ddiwedd 2002.

Grŵp 1 * (syml)
Ffortiwn i Pom-Pom, addas. Elen Rhys (Gwasg Gwynedd)
Penri'r Ci Poeth, addas. Elen Rhys (Gwasg Gwynedd)
Pen-blwydd Hapus, Blodwen, addas. Elen Rhys (Gwasg Gwynedd)
Pwtyn Cathwaladr, addas. Elen Rhys (Gwasg Gwynedd)
Sianco, addas. Angharad Dafis (Gwasg Gwynedd)
Syniad Gwich? addas. Jini Owen a Brenda Wyn Jones (Gwasg Gwynedd)
Pws Pwdin a Ci Cortyn, addas. Gwawr Maelor (Gwasg Gwynedd)
Nainosor, addas. Gwawr Maelor (Gwasg Gwynedd)
Mins Sbei, Siân Lewis (Gwasg Gomer)
Mins Trei, Siân Lewis (Gwasg Gomer)
Dim Actio'n y Gegin, Siân Lewis (Gwasg Gomer)
Help! Mae 'na Hipo yn y Cwstard!, Sonia Edwards (Gwasg Gwynedd)

Grŵp 2 ** (canolig)
Crenshiau Mêl am Byth? addas. Dylan Williams (Gwasg Gwynedd)
Dyfal Donc, addas. Emily Huws (Gwasg Gwynedd)
'Dyma Fi – Nanw!' addas. Marion Eames (Gwasg Gwynedd)
Periannau Nina, addas. Siân Lewis (Gwasg Gwynedd)
Dannedd Dodi Tad-cu, Martin Morgan (Cymdeithas Lyfrau Ceredigion Gyf.)
Tad-cu yn Colli ei Ben, Martin Morgan (Cymdeithas Lyfrau Ceredigion Gyf.)
Tad-cu yn Mynd i'r Lleuad, Martin Morgan (Cymdeithas Lyfrau Ceredigion Gyf.)
Cemlyn a'r Gremlyn, addas. Jini Owen a Brenda Wyn Jones (Cyhoeddiadau Mei)
3x3 = Ych-a-fi! Siân Lewis a Glyn Rees (Gwasg Gomer)
Cofiwch Bwyso'r Botwm Neu… Mair Wynn Hughes ac Elwyn Ioan (Gwasg Gomer)
Gwibdaith Gron, Hilma Lloyd Edwards a Siôn Morris (Y Lolfa)
Rwbw Dwba, Gwyn Morgan (Dref Wen)
Y Fferwr Fferau, addas. Meinir Pierce Jones (Gwasg Gomer)
Y Fflit-fflat, addas. Meinir Pierce Jones (Gwasg Gomer)
Ben ar ei Wyliau, Gwyn Morgan (Dref Wen)
Popo Dianco, addas, Dylan Williams (Gwasg Gwynedd)
Un o Fil, Meinir Pierce Jones (Gwasg Gomer)

Grŵp 3 * (Estynnol)**
Arswyd Fawr!, Elwyn Ioan (Y Lolfa)
Y Ffenomen Ffrwydro Ffantastig, Martin Morgan (Cymdeithas Lyfrau Ceredigion Gyf.)
Smalwod, addas. Gwynne Williams (Gwasg Cambria)
Y Crocodeil Anferthol, addas. Emily Huws (Cymdeithas Lyfrau Ceredigion Gyf.)
Zac yn y Pac, Gwyn Morgan a Dai Owen (Dref Wen)
Zac yn Grac, Gwyn Morgan a Dai Owen (Dref Wen)
Nadolig Bob Dydd, Christopher Meredith, addas. Delyth George (Gwasg Gomer)
Bympyti-Bymp, Ruth Morgan, addas. Rhian Pierce Jones (Gwasg Gomer)
Ffair Arswyd, Ruth Morgan, addas. Rhian Pierce Jones (Gwasg Gomer)

Cyfres Chwarae Teg **
(addas. Dylan Williams, Cymdeithas Lyfrau Ceredigion Gyf.)
Trafferth Tadau
Brwydro Budr
Poenau Penalti
Driblwr Disglair

Llyfrau Barddoniaeth Lloerig
(gol. Myrddin ap Dafydd, Gwasg Carreg Gwalch)
Briwsion yn y Clustiau
Chwarae Plant
Y Llew Go Lew
Mul Bach ar Gefn ei Geffyl
Nadolig, Nadolig
Ych! Maen Nhw'n Neis
'Tawelwch!' taranodd Miss Tomos
Brechdana Banana a Gwynt ar ôl Ffa
Tabledi-Gwneud-'Chi-Wenu
Perthyn Dim i'n Teulu Ni